Criú Nua ar Bord!

scríofa ag Patricia Forde

maisithe ag Joëlle Dreidemy

Leabhair eile sa tsraith Lísín:

Scoil na bPáistí Deasa
Ní banphrionsa mé!
Seachain an Dineasár!

Caibidil 1

An Cuireadh

Ahoy! Is mise Lísín. Lá amháin, thug mé cuireadh do na páistí deasa fanacht thar oíche linn ar *An Dragún Draíochta*. 'Níl fhios agam faoi sin,' arsa Claudine. 'Tá cónaí ortsa ar bhád.'

'An bhfuil jacuzzi agaibh?
Tá jacuzzi agam sa bhaile.
Cheannaigh muid é i bPár...'
'Tá fhios agam,' arsa mise.
'I bPáras na Fraince.'
(Ceannaíonn siad gach rud i
bPáras na Fraince.)

'Níl fhios agamsa ach an oiread,' arsa Eoin Searlús.
'Ní maith liom uisce. Ní maith liom éisc. Is fuath
liom feamainn. Ní dóigh liom go dtaitneoidh
bád liom…'

'Anois, anois a pháistí!' arsa Múinteoir Sailí.
Tá mé cinnte go mbainfidh gach duine agaibh
an-sult as oíche a chaitheamh ar bhord loinge.'
'Ba bhreá linne dul ann,' arsa an cúpla Fíona
agus Fionnuala. 'Ach...'
'Ach ?' arsa mise.

8

'Ach tá tinneas cinn orainn agus tá muid lag, tuirseach.' Leis sin, isteach leis an bpríomhoide, an Máistir Breandán.

'An bhfuil duine éigin tinn?' ar seisean. 'De réir Riail 3434987 níl cead bheith tinn ar scoil!' Thug sé an cúpla abhaile ar an bpointe. Chuala muid níos déanaí go raibh an bhruitíneach orthu!

Caibidil 2

Ag Réiteach don Oíche Mhór

An mhaidin dár gcionn ní raibh aon scoil againn. Dúirt na páistí deasa go mbeadh siad ag an mbád ag a sé a chlog – díreach in am don dinnéar! Chaith mé an mhaidin sin ag réiteach don oíche mhór.

11

Sciúr mé an deic.

Chuir mé caoi ar na seolta.

Réitigh mé an t-iasc agus bhain mé an craiceann de na prátaí.

'Nach tú atá gnóthach inniu!' arsa Mam.
Mhínigh mé di faoi na Páistí Deasa. 'Fan nóiméad,'
a deir sí. 'Tá mé féin agus Daid agus Mamó ag dul
amach anocht.' 'Ag dul amach?' arsa mise.

13

'Sea!' arsa Daid. 'Anocht Dinnéar Mór na bhFoghlaithe!'
'Ná bíodh imní ar bith ort!' arsa Mam. 'Beidh *An
Dragún Draíochta* ar ancaire anseo sa chuan.
Beidh sibh slán sábháilte.'

'Beidh mise ag bualadh le mo sheanchara ann,' arsa
Mamó. 'Leonardo is ainm dó. Tá sé chomh dathúil –
agus dá gcloisfeá é ag canadh! Caithfidh mé bheith
ag breathnú go hálainn!'

Ag a sé a chlog, ní raibh duine ná deoraí fágtha
ar an mbád, ach amháin mé féin agus Gúntar.
Bhí an dinnéar réidh. Bhuel, bhí sé beagáinín dóite,
i ndáiríre! Leis sin, chonaic mé carr mór dubh ag
teacht. Osclaíodh an doras agus amach le Gréagóir G.
Galánta a Dó.

16

'Ahoy!' arsa mise. 'Fáilte ar bord, a Ghréagóir G!'
Tháinig a bhuitléir ina dhiaidh agus na málaí aige.
Bhí deich gcinn ar fad ann! 'Is fearr bheith ullamh!'
arsa Gréagóir nuair a a chuir mé ceist air faoi na
málaí ar fad. 'Sin a deir mo Dhaid i gcónaí.
Anois – an bhfuil an dinnéar réidh?'

'Tá súil agam nach bhfuil aon bhia bán ann,' arsa
Claudine. 'Ní ithimse rudaí bána.'
Is ansin a thug mé faoi deara go raibh béaldath á
chaitheamh aici. Béaldath dearg ar fhoghlaí mara!
Céard a déarfadh mo Dhaid faoin scéal sin?

'An bhfuil p-p-pleanc ar an mbád seo?' arsa Eoin
Searlús. 'Tá pleanc againn cinnte,' arsa mise.
'Ach ní bheidh ort é a shiúl, Eoin Searlús… má
stopann tú an gleo sin!' Thug mé suas ar an deic iad
chun roinnt cluichí foghlaí mara a thaispeáint dóibh.

Chaith muid tamall ag cur snaidhmeanna i rópa.
Níor thaitin an cluiche sin le Gréagóir G. Galánta
a Dó. Ní raibh mórán maitheasa le hEoin Searlús
ag ceangal snaidhmeanna. Ach bhí sé an-mhaith
á n-oscailt!

D'imir muid 'téigh i bhfolach' agus bhí an bua agamsa!

21

Ansin, chuaigh muid ag dreapadóireacht ar na rópaí. Bhí Claudine an-tapa, fiú le bróga arda uirthi. Ach ar ndóigh fuair sí cabhair ó Ghúntar...

Bhí mé díreach chun an dinnéar a chur ar an mbord nuair a thug mé rud éigin faoi deara. Bhí *An Dragún Draíochta* ag gluaiseacht...

23

Caibidil 3

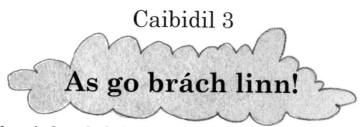

As go brách linn!

Rith mé chomh fada leis an téad ancaire. Bhí sí scaoilte. 'Cé a scaoil í seo?' a bhéic mé. 'Mise!' arsa Eoin Searlús agus é an-bhródúil as féin. 'Tá mé an-mhaith ag scaoileadh snaidhmeanna! Nach bhfuil?'

O bhó go deo! Céard a dhéanfainn anois? Bhí muid
amuigh i lár na farraige agus bhí an oíche ag titim.
Ní foghlaithe iad na páistí deasa agus bíonn an
fharraige dainséarach uaireanta.

'Ní maith liom na tonnta móra seo,' arsa Eoin
 Searlús. 'Tá pian i mo bholg agam.'
'Céard é sin?' arsa Gréagóir G. Galánta a Dó.
'Amuigh ansin thall?'

Bhreathnaigh mé trí mo theileascóp. Foghlaithe mara!
Ach bhí cuma an-scanrúil orthu. Chonaic mé fear mór
dorcha, le pearóid ar a ghualainn, paiste dubh ar
shúil amháin agus cuma fhíochmhar ar a aghaidh.

Caibidil 4

Foghlaithe Cearta!

'Foghlaithe!' arsa Gréagóir G. Galánta a Dó. 'Agus tá cuma an-dainséarach orthu!' 'Agh!' arsa Eoin Searlús agus thit sé i laige. 'Faigh na gunnaí!' arsa Claudine. 'Níl aon ghunna againn,' arsa mise. 'Is foghlaithe deasa muid!'

Tháinig Eoin Searlús chuige féin arís.

'An mbeidh orm an pleanc a shiúl?' ar seisean.

'Nach mór an trua nach bhfuil Fíona agus
Fionnuala anseo,' arsa Claudine.

'Tá siad go hiontach ag karate.'

Fíona agus Fionnuala?

Is ansin a rith plean liom.

Bhí sé ródhéanach ealú.

'Líne dhíreach!' arsa mise. Rinne na páistí deasa líne.

'Anois a Chlaudine! An bhfuil béaldath agat?'

'Béaldath!' arsa Claudine. 'Tá muid i lár na farraige.
Tá foghlaithe mara dainséaracha ag teacht inár
dtreo agus tá tusa ag iarraidh BÉALDATH?'

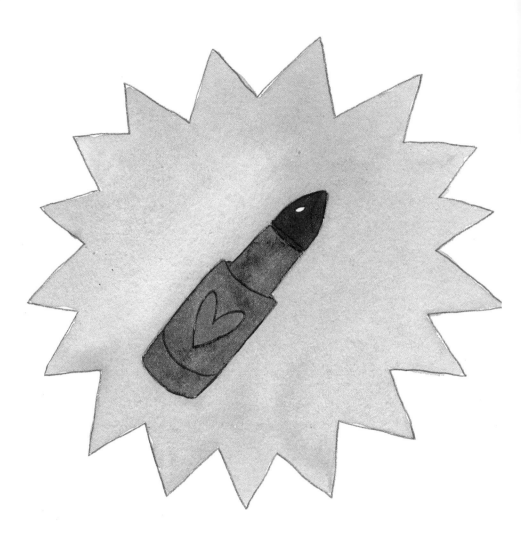

'Tabhair dom é!' arsa mise. 'Tá plean agam.'
Thug sí dom é.
Thóg mé an béaldath agus thosaigh mé ag obair.

Caibidil 5

Bí ullamh!

Bhí na foghlaithe díreach in aice láimhe. Chuir na daoine seo faitíos mór ormsa – agus tá seantaithí agamsa ar fhoghlaithe mara. 'Ahoy!' arsa an captaen. 'Ahoy!' arsa mise. Bhí mo dhá ghlúin ag crith.

'Lig dúinn teacht ar bord!' arsa an captaen.

'Ní féidir!' arsa mise.

'Ní féidir? Cén fáth?' arsa an captaen agus fearg air.

'Cén fáth?' arsa an phearóid. 'Cén fáth?'

'Mar… mar tá an bhruitíneach orainn!' arsa mise.
'An bhruitíneach? Cén sórt ruda é sin?'
'Tinneas uafásach atá ann. Tá muid clúdaithe le
  spotaí dearga! Féach!'

Leis sin, tháinig an ghealach amach, agus chonaic
na foghlaithe i gceart muid.

'Aaaccch!' arsa na foghlaithe. 'Spotaí dearga!
An bhfuil an tinneas sin tógálach?'

'Tá! An-tógálach! Anois fan amach uainn!'
arsa Claudine. 'C-c-c-ceart go leor mar sin,' arsa
an captaen. 'Cogar – níl sibh ag dul ag Dinnéar
na bhFoghlaithe, an bhfuil?'

'Níl!' arsa mise.

'Tá muide imithe ar strae,' arsa an foghlaí, 'agus tá muid déanach! Bhí muid ag súil go mbeadh fhios agaibhse cá raibh an dinnéar ar siúl.'

'Brón orm,' arsa mise. 'Níl cliú agam!'
'Rinne mé dearmad ar mo léarscáil,' arsa an foghlaí.
'Botún mór agus an fharraige seo lán le siorcanna!
Har har!'
'Siorcanna?' arsa Eoin Searlús.
Thit sé i laige arís.

Tá léarscáil agamsa,' arsa Gréagóir G. Galánta a Dó.
'Is fearr bheith ullamh! Sin a deir m'athair i gcónaí!'

'Go hiontach!' arsa an foghlaí fíochmhar.

Thug Gréagóir G. Galánta a Dó an léarscáil dóibh.
Nuair a bhí siad imithe, chas mé *An Dragún
Draíochta* thart agus thug mé aghaidh ar an gcuan
le luas lasrach.

Caibidil 6

Oíche Mhaith

Faoin am go raibh muid ar ais sa chuan, bhí gach duine tuirseach agus bhí muid ar fad stiúgtha leis an ocras. Cheangail mé an téad ancaire agus d'ith muid an t-iasc agus na prátaí.

'Ní raibh an dinnéar ródhona,' arsa Claudine, 'ach ní ithimse cácaí riamh don mhilseog.' D'oscail Gréagóir G. Galánta a Dó mála agus thóg sé amach bosca seacláidí – ó Pháras na Fraince!

44

'Is fearr bheith ullamh!' ar sé, agus thosaigh muid ar fad ag gáire. 'Is maith liom an bád seo,' arsa Eoin Searlús agus thit sé...ina chodladh.

Tamaillín ina dhiaidh sin, tháinig Mamó abhaile ón dinnéar. Agus ní raibh sí ina haonar! Bhí fear mór dorcha léi. Fear a d'aithin mé.

45

46

'Abair amhrán dom, a Leonardo a stóirín!' arsa
Mamó leis. Ní raibh an foghlaí mór chomh fíochmhar
anois agus é ag canadh faoin ngealach lán!

Thit mé i mo chodladh lena amhrán binn i gcluas amháin agam agus na páistí deasa ag srannadh sa chluas eile! Is mór an spóirt bheith ar bhord *An Dragún Draíochta*...fiú leis na páistí deasa mar chriú againn!